Christoph Zehendner

Das Geheimnis der Zwölf

Das Größte ist die Liebe

Zum Autor:

Der Journalist, Moderator, Texter und Theologe Christoph Zehendner, Jahrgang 1961, lebt mit seiner Frau Ingrid (Kunsttherapeutin) in Steinenbronn bei Tübingen. Die beiden haben zwei erwachsene Kinder. www.christoph-zehendner.de

Zum Buch:

Zwölf Menschen, zwölf Begegnungen – unscheinbar,
wie der Alltag meistens ist.
Und doch sind alle zwölf Teil *einer* Geschichte,
Teil *eines* großen Geheimnisses,
von dem mehr erfährt, wer danach sucht,
es entdeckt ... und wagt, es zu leben.

www.brunnen-verlag.de
Lektorat: Petra Hahn-Lütjen
Umschlagmotiv: Plainpicture
Umschlaggestaltung: Sabine Schweda
Satz: DTP Brunnen
Herstellung: CPI – Ebner & Spiegel, Ulm
ISBN 978-3-7655-1769-3

Inhalt

Zu diesem Buch

Die Kette von Geschichten und Schicksalen in diesem Buch zieht sich mitten durch unseren Alltag. Wir verfolgen gespannt, wie völlig unterschiedliche Menschen aufeinander zugehen und miteinander reden können; wir ahnen, wie sie insgeheim voneinander abhängen, und wir staunen, wie sie einander auffangen. Es ist eine große Kunst, irdische Begegnungen zu einer himmlischen Geschichte zusammenzuknüpfen. Christoph Zehendner hat uns eine Perlenkette geschenkt.

Manfred Siebald
Autor, Liedermacher, Literaturwissenschaftler

Ich bin begeistert. Eine Stunde mit diesem Buch, und wir tanken Ermutigung für Begegnungen, Trost für Enttäuschungen, Stärkung für Müdigkeiten, Blick für Bedeutsamkeiten, Aufmerksamkeit für Menschen, Aufbaunahrung für die Seele, praktische Anstöße für gelebten Glauben und gelebte Liebe in Alltagskleidung, eine Ahnung: So könnte es gehen, eine Zuversicht: Alles lohnt sich. Und: Man kann nicht aufhören zu lesen. Eine geniale Idee.

Monika Deitenbeck-Goseberg
Pfarrerin

Das Geheimnis der Zwölf

Was Sie hier lesen, kann eigentlich gar nicht wahr sein.

Wir wissen doch alle aus eigener Erfahrung: Die Menschen heutzutage denken nur an sich und ihren eigenen Vorteil, sie setzen sich nur für ihre eigenen Belange ein und lassen sich möglichst wenig auf andere ein.

Stimmt's?

Stimmt Gott sei Dank nicht, nicht immer!

Die Zwölf, denen Sie in diesem Büchlein begegnen, sind anders. Sie hören einander zu, haben Interesse aneinander und Verständnis füreinander, sie helfen, nehmen sich Zeit, packen zu.

Dabei sind sie sehr unterschiedlich – vom Alter, vom Beruf, vom Bildungsstand und den persönlichen Interessen her betrachtet haben sie wenig gemeinsam.

Doch ein Geheimnis verbindet sie: Sie sind Menschen, denen die Beziehung zu Jesus Christus wichtig geworden ist. Und deren Leben etwas widerspiegelt von seiner Liebe.

Liebe kann vielfältig, ungewöhnlich, ideenreich, zupackend und immer wieder überraschend sein. In diesem Büchlein soll das anhand einiger Beispiele deutlich werden. Liebe kann Grenzen überwinden, Verkrustungen aufweichen, Neuanfänge ermöglichen. Liebe kann aus einer Geste bestehen, einem Lächeln, einer helfenden Hand oder einem mahnenden Wort. Aber nie ist sie graue Theorie, sondern immer frische, lebendige, spürbare Praxis.

Sie lernen hier zwölf Menschen kennen, die ich mir ausgedacht habe. Aber ich kann Ihnen versichern – ich habe viele solcher Persönlichkeiten tatsächlich kennengelernt. Als Sänger und/oder Prediger bin ich häufig zu Konzerten, Gottesdiensten und Referaten in ganz unterschiedlichen Gemeinden unterwegs. Dabei sind mir prächtige Menschen begegnet (zugegebenermaßen auch skurrile, verkrampfte, abstoßende und unzugängliche Zeitgenossen, aber vielleicht habe ich deren besondere Gaben einfach nicht auf Anhieb erkannt). Ich bin ins Staunen geraten über solche Menschen, die ein Stück der unermesslichen großen Liebe Gottes in kleine Münze umsetzen und entsprechend leben.

Solchen beeindruckenden Menschen will ich mit diesem Büchlein ein Denkmal setzen. Ganz besonders natürlich den Persönlichkeiten, deren Biografie mir eine Vorlage zu der einen oder anderen Kurzgeschichte dieses Büchleins geliefert hat.

Ich will mir selbst und Ihnen, meinen verehrten Leserinnen und Lesern, Freude gönnen über das, was Gottes Liebe in einem Menschen, in einer Gemeinde, in einer von ihm geprägten Gemeinschaft bewegen kann.

Zeichnet das Buch deswegen eine »heile Welt«?

Ja und nein.

Nein, denn tatsächlich habe ich nicht sehr oft Gemeinden erlebt, in denen eine solche liebevolle Atmosphäre herrscht, wie sie in den einzelnen Kapiteln beschrieben wird. Die Sehnsucht nach Liebe und tiefer Gemeinschaft aber war unübersehbar, und gute Ansätze oder zumindest ein guter Wille mit Händen zu greifen.

Ja, dieses Buch schildert eine Welt, in der schon etwas heil geworden ist. Denn dort, wo Menschen Gott in sich Raum geben und sich an ihm ausrichten, da verändern sie sich, werden offen füreinander und erleben, dass kranke, verwundete, vernarbte Seiten ihres Lebens heil werden. Und das wirkt sich aus, wie Sie im »*Geheimnis der Zwölf*« werden nachlesen können.

»An eurer Liebe wird jeder erkennen können, dass ihr meine Jünger seid«, sagt Jesus (Johannes 13,35).

Ich hoffe, dass Sie das Geheimnis dieser seiner zwölf Jüngerinnen und Jünger entdecken und erkennen. Dass Sie sich daran freuen können und sich davon anstecken lassen.

Vielleicht entdecken Sie ja nach der Lektüre: Ja, das ist wahr!

Und Sie machen sich daran, der unendlichen Geschichte des Geheimnisses der Liebe durch Ihr Leben weitere Kapitel hinzuzufügen!

Christoph Zehendner

1.
Der Handwerker und die alte Dame

LANGSAM, JA BEHUTSAM drückt er mit dem rechten Zeigefinger die Ziffern auf dem Mobiltelefon, das er in der linken Hand hält. Klein und zerbrechlich wirkt das Telefon in dieser Hand. Eine Hand, die Arbeit gewöhnt ist, eine Handwerkerhand; an den Schwielen ist es deutlich abzulesen.

Nach der letzten Zahl atmet er durch, überlegt noch ein, zwei Augenblicke lang und betätigt dann den Knopf, der den Wahlvorgang auslöst. Er wartet, bis nach ein paar Sekunden ein leises Tuten zu hören ist.

Dieses Geräusch verändert ihn auf seltsame Weise. Aufgeregt wirkt er plötzlich, irgendwie jünger, hilfloser, unsicherer als zuvor. Die Stimme im Telefon lässt ihn zusammenzucken. Aufgeregt meldet er sich:

»Ja, hallo. Norbert hier, Norbert Neumann. Sie wissen schon … Ich wollte mich mal wieder melden, Frau Schott. Ja, ist ein paar Jahre her … Ich wollte doch mal hören, wie's Ihnen so geht und was sie so treiben, ganz allein in der großen Wohnung … Freut mich zu hören, ja wirklich … Gerne schau ich mal rein, natürlich … Ach, Sie wissen ja, Frau Schott, seit ich mich selbstständig gemacht habe, bin ich rund um die Uhr unterwegs … Schwere Zeiten auf dem Bau, Sie haben's sicher in der Zeitung gelesen …«

Er hört auf zu reden, lauscht den Worten seiner Gesprächspartnerin, nickt. Dann holt er erneut tief Luft, als wollte er Kraft sammeln für den nächsten Satz.

»Wissen Sie, Frau Schott, ich hab da ein Problem, eine Frage, und ich dachte mir, wo Sie uns doch früher so oft geholfen haben, wenn wir nicht klarkamen … Also es ist so: Der Branche geht's wirklich schlecht. Und mein Kredit für Existenzgründer ist noch lange nicht abbezahlt, ich kämpfe Monat für Monat. Wenn meine Frau nicht die Buchhaltung selbst machen würde, ich weiß nicht, wo wir heute wären. Naja, und da habe ich jetzt so ein Angebot bekommen … Der Kunde ist eigentlich seriös, ein ziemlich erfolgreicher Immobilienmensch. Der rief mich jetzt an und hatte einen Auftrag für mich, einen richtig großen, genau das, was mir über den Winter helfen würde. Ich habe innerlich gejubelt – aber als er dann vorbeikam, um alles mit mir zu besprechen, da …«

Wieder zögert der Mann. Die Farbe ist aus seinem Gesicht gewichen. Nervös spielt er an seinem Telefon herum.

»Frau Schott, er will mir ›Schwarzgeld‹ geben, verstehen Sie? Geld, das nie durch seine Bücher gelaufen ist. Er will Steuern sparen. Tun doch alle, sagt er, ob ich zu viel Geld hätte und es gerne an den Staat loswerden möchte und solche Sprüche. Frau Schott, ich war doch immer … Ich wollte doch immer ehrlich sein. Ich …«

Er schweigt. Jetzt ist heraus, was ihn so belastet hat. Seine Augen sind etwas feucht geworden, mit der linken Hand kramt er nach einem Taschentuch und wischt sich damit über die Augen.

»Frau Schott, wir sind doch früher immer zu Ihnen gekommen, nach dem Kindergottesdienst. Wir haben mit Ihnen übers Abschreiben der Hausaufgaben gesprochen, über unsere Eltern, die erste Freundin. Sie wundern sich jetzt bestimmt, dass ich …«

Wieder hört er zu, konzentriert, angespannt. Nach ein paar Minuten schließt er die Augen, stammelt ein kurzes »Dankeschön« und legt auf.

Dann setzt er sich an seinen Schreibtisch und denkt lange nach.

2.
Die alte Dame und der Computerfreak

»Natürlich schaffen Sie das!« Die Stimme des Jugendlichen klingt beruhigend sicher. Er sitzt schräg hinter der Frau und sieht an ihr vorbei auf den flimmernden Bildschirm. Dann liest er laut vor: »To Mrs Debora Köhler, Country Side 778, Oklahoma City, USA. Liebe Debora …«

Die alte Dame seufzt. Zwei Stunden lang sitzt sie nun schon vor dieser Maschine, die ihr so fremd ist. Jeden einzelnen Schritt hat Tim ihr erklären müssen: Wie man einschaltet, was ein »Textprogramm« ist, wie man eine »Datei« eröffnet und, und, und. Unmöglich, sich das alles zu behalten.

»Weiter geht's!«, ermahnt sie ihr jugendlicher Helfer. »Sie haben Ihrer Enkeltochter doch sicher eine ganze Menge zu erzählen. Hauen Sie einfach in die Tasten, die Fehler können wir gleich noch korrigieren, dazu habe ich Ihnen extra noch ein gei…, ein vorzügliches Korrekturprogramm mitgebracht, das die neue Rechtschreibung kontrolliert. Ich sag Ihnen, Sie werden staunen …«

Seine Unbekümmertheit steckt sie an. Sie rückt die Brille zurecht, setzt ihre zitternden Finger einzeln auf die Tasten. Die Tastatur ist extra breit, anders hätte sie die Tasten nicht treffen können. Einen Füller kann sie schon lange nicht mehr halten.

»Diesen Brief tuppe ich selbst für Dich«, schreibt sie, langsam sich von Buchstabe zu Buchstabe tastend.

»Tuppe ist gut«, lacht der Junge. »Das können wir gleich mal korrigieren. Schauen Sie, die rechte Hand auf die Maus legen. Dann so lange hin und her bewegen, bis der kleine Pfeil genau auf den falschen Buchstaben zeigt und dann – klick – , schon kann Debora lesen, was Sie ihr sagen wollen.«

Debora. Warum wohnt das Kind nur so weit weg? Natürlich musste Deboras Vater, ihr Schwiegersohn, die Chance ergreifen, die ihm seine Firma angeboten hatte. Hals über Kopf war die ganze Familie über den großen Teich gezogen. Anfangs hatten sie noch zweimal in der Woche angerufen, waren einmal im Jahr zu Besuch gekommen. Aber die Anrufe und die Besuche sind weniger geworden. Sie haben ja auch genug um die Ohren, dort drüben.

»Nicht träumen, Frau Schott«, mahnt der Junge, »den Brief schaffen wir heute noch.«

Es tut so gut, dass er sie immer wieder aus ihren schwermütigen Gedanken reißt. Vor ein paar Wochen hatte er sie nach dem Gottesdienst angesprochen und sich nach Debora erkundigt, mit der er vor Jahren in den Kindergarten gegangen war. Er und ein paar andere aus dem Jugendkreis hatten um Deboras Adresse gebeten; sie wollten sich wohl mal wieder bei ihr melden. Und dann hatten die jungen Leute bemerkt, wie schwer es ihr fiel, den Kontakt zu ihrer Enkeltochter und dem Rest der Familie zu halten, dass die Verbindung fast eingeschlafen ist, obwohl sie doch so unter der Trennung leidet.

Danach ging alles ganz schnell. Die Jugendlichen hatten so lange auf sie eingeredet, bis sie zustimmte und sich von ihnen einen Computer besorgen ließ. »Superschnäppchen«, hatte Tim geschwärmt. Sie hatte etwas von dem Geld dafür abgehoben, das ihre Enkeltochter nach ihrem Tod hätte erben sollen.

Gestern haben Tim und seine Freunde den Kasten in ihre Wohnung geschleppt. Seit zwei Stunden steht das Ding nun auf ihrem Schreibtisch. Und ein erster Satz an Debora steht da jetzt auch. Und bald ein zweiter, ein dritter. Ihre Wangen sind rot vor Anstrengung und Freude. Tim lobt sie für den Eifer, mit dem sie jetzt ans Werk geht.

»Deine« tippt sie schließlich, dann legt sie ihre Arme in den Schoß. »Das reicht«, triumphiert sie. »Oma« kann ich noch mit eigener Hand drunterschreiben.«

»Super«, kommentiert Tim. »Jetzt drucke ich den Brief noch aus, Sie unterschreiben, und dann nichts wie ab mit der Luftpost. Nächsten Dienstag kommt Mandy, die hilft Ihnen beim zweiten Brief. Und bald zeigen wir Ihnen, wie sie eine E-Mail an Debora schicken können.«

3.
Der Computerfreak und das Mädchen

Lisa ist keine von den jungen Frauen, denen die Jungs auf der Straße heiße Blicke hinterherwerfen. Doch wer sie kennt, ist begeistert: aufgeweckt, locker, voller Leben, so erleben die Leute sie. Beliebt in der Klasse und im Sportverein, keine Party, zu der sie nicht eingeladen wird.

Vor ein paar Monaten aber hat sich das urplötzlich verändert. Sie konnte nicht mehr, war überfordert, rastete regelrecht aus, nach allem, was auf sie eingestürmt war: erst die Scheidung der Eltern, dann immer größere Probleme in der Schule, schließlich die plötzliche Trennung von ihrem Freund, mit dem sie schon eine ganze Weile zusammen war. Von einem Tag auf den anderen hatte Lisa sich mit einer fürchterlichen Szene aus der Schule verabschiedet und die meisten Kontakte abgebrochen, sie war geflüchtet und wollte nur noch allein sein mit sich und ihrer Traurigkeit.

Was genau danach passiert ist, hat Tim nicht mitbekommen. Er weiß nur, dass das alles schon ein paar Jahre zurückliegt – und dass Lisa heute zum Jugendkreis kommen und erzählen will. Von *sich* erzählen. Tim ist gespannt. Auch wenn kein Mensch eine Ahnung davon hat – insgeheim interessiert er sich schon lange für Lisa. Solange sie einen Freund hatte, hatte er sich das nicht einmal selbst richtig eingestanden. Nach ihrer Trennung war er zu feige.

Was wird sie erzählen?, fragt er sich. Noch nie war Lisa im Jugendkreis. Rein äußerlich passt sie auch nicht in den Verein, sie war schon immer cooler drauf als die Mädchen aus frommen Elternhäusern. Und dass sie sich für die Gemeinde oder für Jesus interessiert hätte, ist Tim auch noch nie aufgefallen. Will sie jetzt diskutieren oder provozieren?, fragt er sich.

Dann hockt Lisa da, im Schneidersitz auf einem der durchgesessenen Sofas im Jugendraum. Nach ein paar gemeinsamen Liedern lädt die Jugendleiterin sie ein, zu sprechen.

Stockend, manchmal fast unverständlich

leise, ein paar Mal von Tränen begleitet, erzählt Lisa. Eine Geschichte von Schmerz und stillem Leid, von Ablehnung und Sehnsucht, von Hoffnung und Enttäuschung, von Rollenspiel und Verzweiflung. Trotz der Tränen, trotz der Schatten unter den Augen sieht sie besser aus als je zuvor, findet Tim, und er spürt, wie beeindruckt er ist von Lisa und ihrer Geschichte.

»Als nichts mehr ging, schickte Gott mir Anke vorbei«, erzählt sie. Die beiden kennen sich noch aus der Grundschule, haben eine typische Sandkastenfreundschaft hinter sich. »Dass Anke sich nach Jahren plötzlich nach mir erkundigte und mich trösten wollte – das konnte ich nicht begreifen. Irgendwie hatte sie meine neue Adresse herausbekommen, mich angerufen, mich besucht. Keinen Vorwurf machte sie mir, kein plattes frommes Wort sagte sie, sie war einfach für mich da. Und erst, als ich von mir aus die Karten offen auf den Tisch legte und um Hilfe bat, da erzählte Anke mir von ihrem Glauben und lud mich auch zu Jesus ein. Das war vor vier Monaten.«

Im Jugendraum ist es ganz still geworden. Tim hält die Luft an. »Ich habe ganz auf Jesus gesetzt, an diesem Abend«, fährt sie fort. »Und ich bin hier, um euch zu berichten, wie gut und lebenswichtig diese Entscheidung für mich war. Anke hat mich in den letzten Wochen begleitet, und sie hat mir Mut gemacht, mit euch gemeinsam den Weg mit Jesus zu gehen. Ich habe so furchtbar wenig Ahnung von der Bibel, von eurer Gemeinde und dem ganzen Kram. Kann ich trotzdem mitmachen bei euch?«

Keiner sagt ein Wort, obwohl die Gesichter bereits eine Antwort formulieren. Tim steht auf. »Ja ... willkommen im Club, Lisa«, stammelt er. »Du kannst dir gar nicht vorstellen, wie sehr wir jemanden wie dich brauchen.«

Dann reden viele durcheinander und bestätigen seine Worte. Tim spürt: Sie sind wie er aufgewühlt von dem, was sie gehört haben. Und sie wollen für Lisa da sein und sich anstecken lassen von ihrem lebendigen, frischen Glauben.

4.
Das Mädchen und der Mesner

WAS ZIEHT MAN an bei so einer Gelegenheit? Lisa steht schon eine halbe Stunde vor dem Schrank, probiert unschlüssig dieses und jenes. Die Jeans ist ihr nicht fein genug, der Rock zu kurz, die Bluse zu auffällig. Wie gut, dass Anke gleich kommen wird! Die hat sicher einen Tipp für sie.

Als Anke wenig später den Schrank und die vielen Sachen über Stuhl und Bett sieht, lacht sie herzhaft. »Wir gehen doch nicht zu einer Beerdigung«, spottet sie freundlich. »Schön locker bleiben, Lisa, zieh dir an, worin du dich wohlfühlst und mache dir nicht so einen Stress! Das ist ein Gottesdienst und keine Modenschau.«

Lisa lächelt verlegen. Bald sind die beiden unterwegs in Richtung Kirche. »Heute ist ganz normales Programm, kein Jugendgottesdienst, keine modernen Lieder oder so. Eben ein gewöhnlicher Sonntagsgottesdienst«, erklärt Anke, als müsse sie sich entschuldigen.

Gemeinsam sitzen die beiden in der vorletzten Reihe. Anke zeigt Lisa, wo sie welche Lieder im Gesangbuch findet, flüstert ihr ein-, zweimal Erklärungen zu, damit Lisa dem Ablauf des Gottesdienstes folgen kann.

Doch Lisa scheint gar nicht richtig zuzuhören. Staunend ruht ihr Blick auf dem Altarraum, so lange, dass Anke es nicht mehr aushält: »Mensch, Lisa, was siehst du denn da vorne so Spannendes?«, will sie wissen.

»Die Blumen«, flüstert Lisa zurück. »Diese wunderschönen Blumen!«

Anke wartet ab, bis der Gottesdienst vorbei ist, dann stellt sie die Frage, die sie schon seit einer Weile beschäftigt: »Wo kommt denn nur deine Begeisterung für den Blumenschmuck her? Das ist doch ganz normal, das ist bei uns immer so. Unser Mesner ist zwar ein etwas wortkarger Kauz, aber er hat einen riesigen Garten mit vielen Blumen – und die schönsten stellt er am Sonntag auf den Altar.«

»Was ist mit meinen Blumen?« Der Mesner

hat offensichtlich Gesprächsfetzen der beiden mitbekommen.

»Ach, nichts, Herr Greiner«, versucht Anke zu erklären. »Meine Freundin ist neu hier, wir sprachen nur gerade über Ihren Garten und …«

»Danke, Herr Greiner!«, unterbricht Lisa sie. »Die Blütenpracht, mit der Sie den Altar geschmückt haben, hat mich innerlich richtig berührt. Wissen Sie, ich habe seit Jahren keinen Blumenstrauß mehr in der Hand gehabt, das fiel mir gerade im Gottesdienst ein. Niemand hat mir einen geschenkt, und ich selbst habe mir auch nie einen gegönnt. Dabei liebe ich Blumen eigentlich, aber diese Liebe ist offensichtlich zugeschüttet worden vom Alltagstrott. Und deswegen habe ich mich heute so erfreut an Ihrem wunderschönen Altar!«

»Ich will Ihnen nicht zu nahe treten«, brummt der Mesner mit dem leichten Anflug eines Lächelns auf den Lippen. »Aber eigentlich stehen diese Blumen *nicht* hier, damit *Sie* sich freuen. Die sind zur Freude Gottes gedacht. Verstehen Sie? Er soll mit diesen Blumen geehrt werden. Die schönsten Blüten, die ich im Garten habe, die bringe ich hierher, um ihm zu danken.«

Lisa ist erst leicht verwirrt, dann begreift sie. »Gott loben, das will ich auch lernen. Ich habe ihm so viel zu verdanken. Blumen habe ich keine, aber ich werde meinen Weg finden, ihm meinen Dank auszudrücken, da fällt mir schon noch etwas ein.«

Sie strahlt, dann wendet sie sich noch einmal an den Mesner. »Vielen Dank für Ihre Blumenpredigt!«, lacht sie. »Die werde ich nicht vergessen!«

5.
Der Mesner und die Managerin

»Greiner, ja bitte?« Seiner Stimme ist anzumerken, dass der Mesner leicht verwundert ist. Er fragt sich, wer ihn da am Montagmorgen pünktlich um acht Uhr anrufen könnte. Der Pfarrer schläft sich jetzt noch von seinem Wochenendstress aus, die ehrenamtlichen Mitarbeiter sind am Arbeitsplatz oder in der Schule. Sicher einer von den aktiven Rentnern, die in ihrem Ruhestand für hilfreiche Unruhe in der Gemeinde sorgen, denkt der Mesner.

Falsch geraten, eine jüngere Frauenstimme meldet sich:

»Ist dort die Stephansgemeinde? Hier spricht Severin, Firma Oppermann, schönen guten Morgen.«

Der Mesner nimmt Haltung an und setzt sein Dienstgesicht auf. »Morgen, ja, Stephansgemeinde, mein Name ist Greiner, ich kümmere mich um die Kirche.«

»Na, die hat's nötig, wo doch immer mehr

Leute austreten und der Papst so seltsame Dinge sagt über Kondome und ...«

»Wir sind eine evangelische Kirche!«, unterbricht sie der Mesner. Und klingt jetzt ein wenig abweisend.

»Ich weiß, ich weiß, hatte ich nur kurz vergessen. Entschuldigen Sie, ich habe nicht so viel mit religiösen Dingen zu tun, bin deshalb etwas unsicher, wie ich Ihnen mein Anliegen schildern soll ...«

Der Mesner ist versöhnt, kommt ihr etwas entgegen: »Nun sagen Sie einfach, was Sie wollen, dann sag ich Ihnen, was wir für Sie tun können.«

»Wir suchen eine Location, ich meine, einen Ort, an dem wir unsere nächsten Shootings machen können, also unsere Fotos. Wir haben eine komplett neue Produktreihe aufgelegt und die wird übernächste Woche bei der Messe präsentiert und eigentlich ist es ja die Aufgabe der Marketing... äh ...leute, die richtige Umgebung für diese Fotos herauszusuchen, aber was die sich vorstellen ... Bauernhofromantik, Misthaufenidylle, ein zerrupfter Hahn im Hintergrund. Nein, das geht nun wirklich nicht, habe ich gesagt, und jetzt kümmern wir vom Vorstand uns eben selbst ...«

»Ich verstehe kein Wort«, gibt Greiner zu. »Bitte sagen Sie mir doch erst einmal, was wir mit all diesen Dingen zu tun haben?«

»Ach so, ja, natürlich. Also: Ich möchte Ihre Kirche mieten. Gleich morgen. Den ganzen Tag über. Wir kommen mit einem Team, suchen uns die schönsten Stellen heraus, leuchten die gut aus, fotografieren die Produkte – mal mit, mal ohne Models. Und dann bauen wir wieder ab und sind verschwunden. Und wir bezahlen Ihnen dafür, sagen wir ... zweitausend Euro Miete. Abgemacht?«

»Moment, ich versteh noch nicht so ganz – unsere Kirche ist ein sakraler Raum und kein Fotostudio. Und die zweitausend Euro ...«

»Überredet. Zweitausendfünfhundert. Inklusive Mehrwertsteuer. Sie müssen keine Sorge haben, wir verletzen keine religiösen Gefühle, wir sind ein seriöses Unternehmen, wir produzieren Exklusivmöbel, Designerstücke, höchste Qualität. Und die wollen wir in einem außergewöhnlichen Ambiente fotografieren – eben bei Ihnen!«

»Designermöbel in einem Gotteshaus?« Der Mesner denkt kurz nach. »Na ja, warum nicht? Ich werde den Pfarrer fragen. Ich glaube, der hätte nichts dagegen …«

»Rufen Sie ihn gleich an und sagen Sie ihm, wir zahlen dreitausend Euro. Aber das ist jetzt wirklich mein letztes Wort!«

»Ja, ich rufe ihn an, so gegen zehn, früher geht er nicht ans Telefon. Ich werde ein gutes Wort für Sie einlegen. Aber das mit der Bezahlung können Sie sich schenken. In unserer Kirche ist jeder willkommen. Ohne Eintrittsgeld. Sie brauchen nur die Kosten für den Strom übernehmen, die tatsächlich anfallen. Und als Zeichen Ihrer Dankbarkeit könnten Sie ja Geld spenden für die Kindertagesstätte unserer Gemeinde, die braucht dringend eine neue Rutsche und ein paar andere Geräte für den Spielplatz.«

»Wirklich? Das ist ja wunderbar! Ja, sprechen Sie mit Ihrem Herrn Priester. Und das mit der Spende geht klar, die Kleinen können sich schon mal freuen …«

6.
Die Managerin und der kleine Junge

WAS HAT SIE nur hierher getrieben? Hilflos und schwach fühlt sie sich, die Knie werden weich, im Kopf hämmert es. Eigentlich hat sie überhaupt keine Zeit, um in die Kirche zu gehen, kein Interesse, keine innere Neigung. Doch jetzt hat sie ihre Shoppingtour durch die Stadt unterbrochen, hat die Einkaufstüten neben sich auf die Bank gestellt und sich gesetzt. Die Kirche wirkt jetzt ganz anders auf sie als neulich beim Shooting.

Erst tut ihr die Ruhe gut, das gedämpfte Licht, die Kerzen. Doch dann steigen all die Fragen in ihr auf, die sie sonst nicht zulässt. Sie liebt ihren Beruf und weiß doch oft nicht, warum sie sich eigentlich so abstrampelt. Sie genießt ihre Unabhängigkeit und ihren Lebensstil und sehnt sich doch manchmal nach Freunden, nach einer Familie. Sie ist stolz auf das, was sie sich erarbeitet hat und fühlt sich doch oft genug wie ein Häufchen Elend.

Sie lässt ihren Blick durch die Kirche

schweifen. Sie hört auf den Stadtlärm, der durch die Fenster dringt. Irgendwie mag sie diese Atmosphäre, und irgendwie spürt sie, dass solche Augenblicke der Ruhe wichtig für sie sind. Doch die unbeantworteten Fragen werden von Minute zu Minute lauter. Und sie möchte am liebsten davor fliehen.

Als könnte sie sich dadurch schützen, hält sie die Hand vor die Augen, versucht, die Fragen abzuschütteln. Die Beerdigung ihres Vaters fällt ihr ein. Die hilflosen Worte der Pfarrerin, die versucht hat, ein verkorkstes Leben schönzureden. Nirgendwo wird so viel gelogen wie am offenen Grab, hatte sie damals gedacht.

Welche Lügen würde es bei ihrer Beerdigung geben? Würde überhaupt jemand kommen, um zu trauern und Abschied von ihr zu nehmen? Eine Träne läuft ihr über die Wange, sie wischt sie mit dem Handrücken weg, grübelt weiter.

Ihr Konfirmationsspruch kommt ihr in den Sinn: »Ich bin bei euch alle Tage bis an das Ende der Welt.«

Toll! Wo bitte schön war denn Gott all

die Jahre? Warum hat er sich nie bei ihr gemeldet?

Sie öffnet die Augen, ihr Blick fällt auf das Kreuz über dem Altar. Keine große Kunst, dieses Kruzifix, ist ihr erster Gedanke. Ein ausgemergelter Männerkörper hängt leicht verkrümmt an einem schweren Balken. Sie kennt das alles: die Dornenkrone, das schmerzverzerrte Gesicht, die Nägel in Händen und Füßen. Eins aber kennt sie nicht, das hat es bei dem Kreuz in ihrer Heimatstadt nicht gegeben: Unter diesem Kreuz hier ist eine kleine Tafel angebracht, darauf steht etwas. Von hier hinten kann sie nichts entziffern. Sie lässt die Tüten liegen, steht auf, tritt näher.

»Für dich«, steht da.

Sie stutzt.

In diesem Augenblick fliegt die schwere Kirchentür auf, Sonnenlicht und Straßengeräusche dringen herein, auf dem Steinboden hört sie die schnellen Schritte eines Kindes. Sie dreht sich um, sieht einen kleinen Jungen in wiegendem Schritt näher eilen. Der arme Kleine, schießt es ihr durch den Kopf, er ist behindert! Doch da bemerkt sie das Strahlen auf dem Gesicht des Jungen. Er läuft ohne Furcht durch die lange Kirche, schnauft vor Anstrengung und strahlt vor Freude.

Als er vorne, dicht unter dem Kreuz gelandet ist, bleibt er stehen, stemmt die Hände in die Hüften und ruft mit einer Stimme, die eigentlich zu tief klingt für ein Kind: »Allo, Jesus, ich tomm zu dir, fleu dich!«

Sie sieht den Jungen, sie hört seine kindlichen Worte. Und dann läuft sie los, bis sie neben ihm steht. Und flüstert mit ihrer Stimme, die auf einmal auch etwas Kindliches hat: »Hallo, Jesus, ich komme auch zu dir!«

7.
Der kleine Junge und der Vater

»WIE SOLL ES eigentlich weitergehen mit eurem Ben?«, fragt Robert, als er zusammen mit Bens Eltern auf das Ende des Kindergottesdienstes wartet. Er bekommt erst keine Antwort und ist schon besorgt, mit seiner Frage in ein Wespennest gestochen zu haben.

»Mensch, Robert, du bist seit Monaten der Erste, der uns das fragt«, antwortet Bens Mutter. Und es ist mit Händen zu greifen, wie sehr sie sich über dieses Interesse freut.

»Ben entwickelt sich prächtig, sagen sie im Kindergarten. Es tut ihm so gut, mit den anderen Kindern zusammen spielen zu können. Am Anfang haben einige ihn noch gehänselt, haben ihm böse Worte hinterhergerufen, haben ihn geschubst oder geärgert. Aber mit seinem Charme hat er sie alle für sich gewonnen. Wir kommen kaum noch damit nach, ihn zu den Kindergeburtstagsfeiern zu fahren, zu denen er eingeladen wird.« Die Mutter lächelt.

»Demnächst kommen die Ältesten aus der Gruppe alle in die Schule, und Ben möchte da natürlich auch mit ihnen hin – er ist schließlich schon zwei Jahre älter als sie.« Bens Vater redet leise. Was jetzt kommt, fällt ihm spürbar schwer. »Wir sind von Pontius zu Pilatus gelaufen, bis wir endlich die Einwilligung von Schule und sämtlichen Behörden hatten. Ben könnte im Herbst in einer ganz normalen ersten Klasse eingeschult werden. Aber ...«

Robert versteht noch nicht, was das Herz von Bens Vater so beschwert. Zögernd spricht der weiter: »In den Grundschulklassen sind nur wenige Stunden Unterricht am Tag. Ben kann Hilfe bekommen, solange er in der Schule ist. Er wird gefördert mit einem Extraprogramm für behinderte Kinder an Regelschulen, alles bestens organisiert. Aber um elf Uhr ist er fertig, oder um zwölf Uhr. Und an der Schule gibt's kein Mittagessen und keine Nachmittagsbetreuung wie im Kindergarten. Wir wissen einfach nicht, wie wir das organisieren sollen. Ich komme frühestens um sechs nach Hause, und auch Brigitte ist selten vor vier fertig. Wir können unseren Sohn doch nicht so lange in ein Paketschließfach sperren ...«

Robert begreift. Seit Bens Geburt hat er die Familie beobachtet. Ehrlich gesagt, er ist schon froh, dass seine eigenen drei Kinder nicht mit einer Behinderung zur Welt kamen. Aber er hat doch großen Respekt davor, wie Bens Eltern mit ihrem Sohn umgehen, wie sie ihn selbstverständlich mit zum Gottesdienst bringen, wie er trotz seiner Behinderung aufwächst wie alle anderen Kinder auch. Was für eine Aufgabe, hat er manchmal gedacht, wenn er die Familie bei einem gemeinsamen Ausflug erlebte. Ben ist supersüß, aber auch ganz schön anstrengend.

»Was überlegst du so lange, Robert?« Bens Vater wundert sich über das lange Schweigen. »Ach nichts, ich habe nur nachgedacht, wie ich's euch am besten sagen soll. Vielleicht so: Ihr wisst ja, dass ich seit der Scheidung ganz für die Kinder da bin. Morgens sitze ich an meiner Doktorarbeit – das wird auch noch ein paar Jahre so weitergehen müssen. Und ab mittags bin ich dann Papa. Was haltet ihr davon, wenn wir dafür sorgen, dass euer Ben und mein Markus in die selbe Klasse kommen? Ich kümmere mich darum, dass die beiden nach Hause kommen, ums Essen und um die Hausaufgaben, und ihr holt Ben bei mir ab, wenn ihr von der Arbeit kommt?«

Robert spricht so, als sei sein Vorschlag die größte Selbstverständlichkeit.

Bens Eltern reagieren, als hätte er ihnen gerade einen Goldklumpen in die Arme gelegt.

Doch bevor sie antworten können, geht die Tür auf, vor der sie stehen. Eine wilde Kinderhorde tobt nach draußen. Fröhlicher und lautstärker als die anderen Kinder rast Ben auf sie zu: »Allo Mama, allo Baba, allo Bobat – ich tomme. Fleu dich!«

»Ja, ich freu mich riesig auf dich, Ben«, sagt Robert. Und versucht dem dankbaren Blick von Bens Eltern auszuweichen.

8.
Der Vater und die Sekretärin

GIBT'S EIGENTLICH NUR Großfamilien und Rentner auf diesem Gemeindefest? Jenny fühlt sich ziemlich fehl am Platz in dem Gewusel und Gewimmel. Das Würstchen vom Grill war ja noch okay, das Kuchenbüfett des Frauenkreises auch – aber jetzt ist das gesamte Gemeindehaus zur Spielstraße umfunktioniert worden, weil es draußen in Strömen regnet. Und um sie herum toben Kinder in allen Größen. Und gleich neben der überdimensionierten Kaffeemaschine hat sich eine ganze Gruppe älterer Herrschaften niedergelassen, die mit ihrem lebhaftem Geschwätz fast noch mehr Lärm macht als die Kinder.

Jenny kennt kaum jemanden, sie geht erst seit ein paar Monaten hier zum Gottesdienst. Sie kommt sich fremd vor und überlegt schon, heimzugehen.

»Schreibt man Synagoge mit y oder mit ü?«. Jenny zuckt zusammen – die Frage ist an sie gerichtet.

»Warum willst du das denn wissen?«, fragt sie zurück und sieht sich das etwa zehn Jahre alte Mädchen an, das sie einfach angesprochen hat.

»Wir machen doch ein Stadtspiel, das heißt, wir machen ein Spiel nur im Gemeindehaus, weil es draußen so regnet. Und da müssen wir eine Reihe von Rätseln lösen.«

»Ypsilon, die Antwort ist Ypsilon«, lacht Jenny.

»Danke! Weißt du auch, wie die Hauptstadt von Brasilien heißt? Und warum ...«

Jenny wird mit Fragen bestürmt, beantwortet sie alle lächelnd und will schon weitergehen, doch da kommt die Kleine noch mal auf sie zu. »Woher weißt du das alles?«, fragt sie.

»Ich arbeite in einem Reisebüro, da muss ich viele Briefe und E-Mails schreiben – und kriege so natürlich einiges mit.«

»Mein Papa schreibt auch viel«, sagt das Mädchen. »Aber manchmal macht ihm das keinen Spaß mehr, sagt er. Ich glaube, der bräuchte mal jemanden, der ihm ein bisschen beim Schreiben hilft! Schau mal, da kommt

Papa ja. Du Papa, die Frau hier, die weiß fast alles, und die kann ganz tolle Briefe schreiben. Und die hilft dir bestimmt mit deinem ganzen Schreibkram!«

Die Kleine strahlt ihren Vater an und rennt dann weiter, wohl zu den nächsten Stationen des Spiels.

Leicht verlegen spricht der Vater Jenny an: »Winter, schönen guten Tag, ach sagen Sie einfach Robert zu mir, wir sind ja in derselben Gemeinde.«

»Ich bin Jenny, Jenny Deissmann. Ich bin erst seit ein paar Monaten hier in der Stadt und hier in der Gemeinde.«

»Und weil wir nicht alle so kontaktfreudig sind wie meine Tochter, kennen Sie noch kaum einen Menschen hier, stimmt's?«

Jenny lächelt zustimmend.

»Und nach diesem Treffer rate ich gleich weiter: Sie sind ein vom Himmel herabgeschickter Engel, der mir helfen soll, meine Manuskripte zu sortieren und endlich mit meiner Doktorarbeit ein paar Schritte voranzukommen. Danke ja, ich bin interessiert!«

Jenny hört, dass Robert hinter seiner

witzigen Art eine Menge Sorgen versteckt. Behutsam antwortet sie: »Nein, falsch. Mit dem Himmel habe ich nichts zu tun, ich bin in einem Reisebüro beschäftigt. Aber wenn Sie tatsächlich einmal Hilfe brauchen bei irgendwelchem Schreibkram – wenn ich kann, helfe ich Ihnen gerne. Hier ist meine Telefonnummer. Ach ja: Und falls Ihre anderen Kinder auch so nett sind wie dieser Wildfang hier« – Roberts Tochter stürmt gerade wieder winkend vorbei –, »dann dürfen Sie mich gerne auch mal als Babysitterin engagieren.«

9.
Die Sekretärin und der Sänger

JENNY IST ERLEDIGT, kaputt, ausgelaugt nach diesem langen und harten Arbeitstag. Kaum Zeit zum Durchatmen ist ihr heute geblieben. So kurz vor der Hauptsaison ist das Tempo mörderisch. Und es gibt in den nächsten Tagen noch so viel zu tun ... Aber heute Abend wird sie ausgehen, mit Kathrin. Wohin, das weiß sie nicht. Kathrin hat ihr zum Geburtstag einen Überraschungsgutschein geschenkt. Den wird sie heute einlösen, obwohl sie einen Abend auf der Couch auch gut gebrauchen könnte.

»Mäßig schick«, hatte Kathrin vorgegeben. Was immer das bedeuten sollte. In Edeljeans und einer auffällig roten Seidenbluse dreht sie sich vor dem Spiegel, legt noch etwas Rouge auf, da klingelt auch schon Kathrin.

»Du siehst zum Anbeißen aus, Jenny!«, lobt Kathrin. »Nur schade, dass im Zuschauerraum das Licht aus sein wird.«

»Zuschauerraum? Was hast du denn mit mir vor?«

»Wir gehen in ein Konzert, Jenny, freu dich drauf!«

Eine halbe Stunde später betreten Jenny und Kathrin gemeinsam den Konzertsaal. Zielstrebig geht Kathrin durch den Mittelgang, grüßt ein paar Gesichter, die sie kennt, setzt sich ziemlich weit nach vorne, um gut sehen und hören zu können.

Ein paar Minuten später wird es im Saal ganz dunkel. Kathrin wendet sich noch einmal an Jenny: »Achte auf den Sänger. Beeindruckender Typ. Hat Ähnliches erlebt wie du, er wird dir gefallen!«

Von der Band vorne auf der Bühne hat Jenny noch nie zuvor gehört. Kein einziger Titel kommt ihr bekannt vor. Im CD-Regal zu Hause steht viel härtere Musik. Und doch tut ihr unendlich gut, was sie hier hört und erlebt.

Die Musiker auf der Bühne wirken offen auf sie, positiv und lebensbejahend. Sie versteht nicht jedes Wort der Texte, aber sie bekommt genau mit: Denen ist es ernst mit dem, was sie singen und sagen.

Jenny applaudiert wie die anderen Konzertbesucher auch. Als die Gitarristin der Band bei einem Lied zum Mitsingen und Mitklatschen einlädt, macht Jenny begeistert mit. Sie spürt: Das sind Worte und Töne voller Leben, voller Freude. Wie ein Schwamm saugt sie jedes dieser Worte auf.

Ein paar Minuten später ist der Sänger dran, ein großer, heller Typ mit einem gutmütigen Gesicht. Kein routinierter Redner, findet Jenny, kein Mann, der sie durch seine Erscheinung schwach machen kann. Doch trotzdem oder vielleicht gerade deswegen hört sie ihm gerne zu.

»Ich bin Alkoholiker, trockener Alkoholiker«, erzählt der Sänger ohne Umschweife. »Niemand in meiner Umgebung hat etwas davon bemerkt, aber ich brauchte immer öfter und zum Schluss jeden Abend eine kräftige Dröhnung. Ich war abhängig geworden, süchtig. Es hat lange gedauert, bis ich meinen Zustand vor mir selbst zugeben konnte. Und auch danach war noch lange nicht alles in Butter. Ich brauchte und brauche Hilfe, von meinen Freunden, vor allem Hilfe von Gott. Aber er hat mich nicht aufgegeben. Er hat mir die Kraft dazu geschenkt, eine Therapie zu beginnen und abzuschließen. Und er hilft mir dabei, trocken zu bleiben. Das Lied, das ich euch jetzt singen möchte, erzählt meine Geschichte. Ich danke euch fürs Zuhören!«

Jenny kämpft mit den Tränen. Sie spürt Kathrins Arm auf ihrer Schulter, hört die ersten Takte des Vorspiels zum angekündigten Lied. Eine melancholische Melodie, passend zur Lebensgeschichte eines Menschen auf der Suche nach Gott.

Nach dem Konzert spricht Jenny nicht viel. Als Kathrin sie zu Hause absetzt, bedankt sie sich immer und immer wieder. Kathrin lächelt. Dann zieht sie eine CD aus der Handtasche. »Hab ich für dich gekauft, Jenny. Nachträglich zum Geburtstag. Als Erinnerung an heute Abend. Und weil *dein* Lied drauf ist.«

10.
Der Sänger und der Pfarrer

»IM GRUNDE HAT doch keiner von euch eine Ahnung davon, was es heißt, achtzig Tage im Jahr unterwegs zu sein: Achtzig Konzerte vor fremden Menschen, Gespräche mit fremden Menschen, Übernachtungen bei fremden Menschen. Ihr wisst nicht, was es kostet, jeden Abend voll konzentriert zwei Stunden lang für Hunderte von Menschen da zu sein. Ihr denkt doch alle, ich mache Urlaub, wenn ich auf Tournee gehe.«

Der Sänger schweigt, weil er spürt, wie vorwurfsvoll sein Ton geworden ist. Auch sein Gesprächspartner bleibt eine ganze Weile still. Dann räuspert er sich.

»Du hast recht, Max, wir können uns deinen Lebens- und Arbeitsstil nicht richtig vorstellen. Die meisten in der Gemeinde halten deinen Beruf für ein aufregendes Hobby. Manche sind neidisch auf dich, für einige von den Jüngeren bist du eine Art Star, sie bewundern dich und tuscheln hinter deinem

Rücken. Aber was du unterwegs erlebst und wie du dich fühlst, wenn du nach ein paar Wochen mal wieder beim Gottesdienst dabei sein kannst – wie sollen wir das nachvollziehen?«

Das Arbeitszimmer, in dem die beiden Männer miteinander sprechen, ist randvoll mit Büchern. Auch auf dem Fensterbrett und auf dem Boden liegen Stöße davon. Die Luft ist schwer von dem Geruch des Papiers, und doch wirkt der Raum nicht unaufgeräumt, sondern auf beruhigende Weise heimelig. In einer Ecke hängt eine Ikone, ein Evangelist ist darauf dargestellt. Vor dem Bild eine brennende Kerze, ein Teppich, ein Gebetsschemel.

In der anderen Ecke des Büros sitzen sich die beiden Männer gegenüber, zwischen ihnen steht ein wuchtiger Schreibtisch. »Max, es ist gut, dass du mir deine Gefühle so offen geschildert hast. Ich hatte keine Ahnung, dass du dich so wenig verstanden fühlst. Wir empfinden dich als Bereicherung, du bist nicht nur ein Exot für uns, sondern ein echtes Geschenk. Und wir wollen dieses Geschenk auf jeden Fall behalten. Lass uns darüber nachdenken, was geschehen muss, damit du deinen Platz in der Gemeinde finden kannst.«

Die Augen des Sängers wandern durch den Raum, als wären sie auf der Suche. Sein Blick fällt auf theologische Kommentare, verschiedene Bibelausgaben, Lexika und unzählige Aktenordner. Auf dem Schreibtisch entdeckt er ein großformatiges Foto, auf dem eine attraktive Frau in die Kamera lacht.

»Ich habe neulich schon mal kurz mit Regina darüber gesprochen. Sie hat vorgeschlagen, dass ich meine Band mal hierherhole und wir in unserer Gemeinde so eine Art Informationskonzert gestalten. Wir laden nur Mitarbeiter der Gemeinde ein und erzählen dabei von unserem musikalischen Dienst, unseren Aufgaben, den Belastungen, den schönen und den anstrengenden Seiten unseres Jobs. Außerdem habe ich mir vorgenommen, so bald wie möglich mal die Kids vom Jugendkreis einzuladen, wenn ich im Studio bin, und ihnen mal diese Welt zu zeigen. Was meinst du?«

Der Pfarrer nickt erleichtert: »Ein guter Vorschlag, Max, oder besser: Zwei gute Vorschläge. Damit fangen wir an, und dann suchen wir nach weiteren Möglichkeiten. Du gehörst zu uns, wir brauchen dich, wir wollen um dich kämpfen!«

»Das hat deine Frau mir auch schon gesagt, fast mit den gleichen Worten«, lächelt der Sänger.

»Ich weiß gar nichts von eurem Gespräch. Da kannst du mal sehen, wie wir beide gerade in der Tretmühle stecken. Die Wochen vor den Feiertagen sind bei uns die schlimmsten.«

»Tut mir echt leid, dass ich dich so lange in Beschlag genommen habe«, entschuldigt sich der Sänger.

»Ist schon okay«, beruhigt ihn der Pfarrer. »Unser Gespräch ist mir wichtiger als drei Predigten zusammen, und Regina wird sich auch freuen, wenn sie hört, dass wir uns Zeit genommen haben. Danke, dass du gekommen bist!«

11.
Der Pfarrer und die Pfarrfrau

MÜDE SCHLEPPT ER sich die lange Holztreppe nach oben, steckt mechanisch den Schlüssel ins Schloss und öffnet die Tür. Mit einem Seufzen hängt er den Mantel an einen Haken, zieht sich die Schuhe aus und schlurft in ausgetretenen Latschen auf die Küche zu.

Aus dem Wohnzimmer dringt leise Musik. Er bleibt stehen und horcht, dann öffnet er leise die Tür. »Prima, dass du schon da bist, ich hatte dich erst um acht Uhr erwartet«, lacht ihm die Frau entgegen. Sie ist etwa in seinem Alter, wirkt aber im Gegensatz zu ihm frisch und entspannt. Ihr Haar hat sie mit einer großen Spange hochgesteckt. Sie trägt eine Bluse, die locker über den Jeans hängt. Beim näheren Hinsehen entdeckt er, dass sie sich sorgfältig geschminkt hat. Ein angenehm aufregender Duft geht von ihr aus, der ihn leicht irritiert.

»Wo musst du denn heute Abend noch hin? Hab ich den Elternabend vergessen? Bekommen wir Besuch?«

»Nein, geliebter Gatte, heute habe ich mich nur für dich geschmückt!« Sie zwinkert ihm verschwörerisch zu.

Er stutzt. »Weißt du«, plaudert sie weiter und zieht ihn mit ihrer linken Hand immer näher. »Ich habe heute Morgen über uns nachgedacht. Und dann habe ich beschlossen: Heute feiern wir mal. Das wird uns gut tun!«

»Was willst du denn feiern? Entschuldigung, ich stehe auf der Leitung – habe ich ein Jubiläum verpennt?«

»Ja, Hochwürden, Sie stehen auf Ihrer Leitung – nein, Hochwürden, Sie haben nichts verpennt. Ich will es dir gerne erklären: Heute wirst *du* gefeiert. Ein Fest nur für dich allein. Oder sagen wir: für uns beide. Ich habe uns was Leckeres gekocht, das braucht noch ein halbes Stündchen in der Röhre. Sekt steht auch kalt, heute lassen wir's uns gut gehen!«

»Und die Kinder?«, fragte er ungläubig.

»Tobi ist bei seinem Freund Flo, die Mädchen habe ich eine Nacht bei deinen Eltern einquartiert. Ich möchte Zeit mit dir haben. Ich möchte mit dir reden. Ich möchte mit dir das Essen genießen. Ich möchte hinterher mit dir …« Sie zieht ihn mit einem Ruck auf ihren Schoß und beginnt ihn intensiv zu küssen.

»Ich bin so froh, dass ich dich habe! Manchmal wünschte ich mir zwar einen Beamten als Gatten, der jeden Tag pünktlich nach Hause kommt. Aber gerade heute Morgen bin ich beim Nachdenken über uns so froh geworden. Und jetzt möchte ich nichts anderes, als dich anzustecken und dir einen frohen und glücklichen Abend zu bescheren.«

Das Telefon klingelt, er will sich aus ihrer Umarmung befreien.

»Hier bleibst du! Der Anrufbeantworter läuft an, bevor du dran gehen kannst. Jeder Widerstand ist zwecklos. Heute gehörst du mir. Warte nur ab, was für schreckliche Dinge ich noch mit dir anstellen werde …«

Endlich begreift er. Er bettet seinen Kopf in ihren Schoß, genießt die Nähe ihres warmen Körpers, spürt ihre Haut, ihre Brüste. Genießerisch saugt er ihren Duft ein und entspannt sich dabei. Dann beginnt er zu erzählen, während sie ihn sanft streichelt. Liebevoll, sinnlich, anregend lässt sie ihre Finger über seinen Kopf, seinen Hals, seinen Arme wandern. Unendlich langsam öffnet sie ihm die Krawatte, knöpft sein Hemd auf, berührt seine Haut. Dabei hört sie genau auf das, was er berichtet, und erzählt dann ihrerseits von ihren Erlebnissen.

Aus der Küche meldet sich ein Wecker.

»Bleib hier und mach den Kamin an«, befiehlt sie in neckischem Ton. »Ich bin gleich mit dem Essen zurück. Und dann geht unser Fest weiter. Und ich garantiere dir: Heute schläfst du satt, glücklich und ziemlich außer Puste ein, Hochwürden. Und dass du dich bloß nicht unterstehst und dir Notizen für deine nächste Predigt machst, während ich draußen bin …«

12.

Die Pfarrfrau und der Handwerker

Mit vorsichtigen Schritten überquert die Frau den schlammigen Platz vor dem Rohbau, stellt sich vor die noch leere Türöffnung und ruft mit zaghafter Stimme: »Hallo?«

»Komm hoch, ich bin im 2. Stock, hinten rechts ist die Leiter«, hört sie von oben. Für Klettereien auf der Baustelle ist sie nicht gerade ideal gekleidet, aber sie beschließt, nicht auf die dunkle Hose zu achten. Im Stillen ist sie froh darüber, dass sie heute nicht den engen Rock trägt. Behutsam steigt sie an der mit Betonspritzern übersäten Leiter hoch.

Drei Stufen noch, zählt sie. Da taucht über ihr ein Kopf auf. »Frau Pfarrer, entschuldigen sie, ich hatte doch keine Ahnung ... ich wäre natürlich zu Ihnen runtergekommen, wenn ich gewusst hätte, dass Sie ...«

»Wollen Sie mir nicht erst einmal guten Tag sagen, Herr Neumann«, fragt sie, wieder unten angekommen, sichtlich froh darüber, wieder festen Boden unter den Füßen zu haben.

»Ja, klar, ich meine: Guten Tag. Ich bin noch ein wenig überrascht, wissen Sie, solchen Besuch hat man ja nicht alle Tage hier auf dem Bau! Ich freue mich, dass Sie mal vorbeischauen.«

»Das können Sie öfter haben, Herr Neumann. Ich ... Nein, ich will nicht gleich mit der Tür ins Haus fallen. Vielleicht zeigen Sie mir erstmal, woran Sie gerade arbeiten.«

Der Handwerker strahlt. Stolz führt er seine Besucherin durch die verschiedenen Räume und erklärt ihr seine Aufgaben. Nach dem Rundgang lädt er sie ein, sich zu setzen.

»Wir drehen einfach eine Bierkiste um, ich leg noch eine Decke drüber – bequemer haben Sie's auf der Kirchenbank auch nicht«, lacht er. Die unkomplizierte Art der Frau hat seine anfängliche Beklommenheit vertrieben. Aus einer Thermoskanne gießt er dampfenden Kaffee in einen Plastiknapf. Dann sieht er sie an: »Jetzt aber raus mit der Sprache, Frau Pfarrer, Sie sind doch nicht hier, um was über meinen Beruf zu hören. Was hat Sie hierher getrieben?«

»Herr Neumann, ich bin wegen Hassan

hier. Vielleicht kennen sie ihn nicht, seine Eltern arbeiten seit Jahren im AK Asyl mit, sie gehen auch in einen Hauskreis. Hassan aber hält nicht viel von unserer Gemeinde. Und gerade deswegen würde ich ihm so gerne helfen, jetzt, wo er seine Lehre abbrechen musste.«

»Was hat er angestellt?« Dem Handwerker wird mulmig.

»Gar nichts! Seine alte Firma hat Pleite gemacht, von einem Tag auf den anderen. Ein dreiviertel Jahr noch, dann hätte er die Lehre hinter sich gehabt – jetzt steht er da und findet keine Lehrstelle, wo er seine Ausbildung fertig machen könnte. Da habe ich an Sie gedacht, Herr Neumann ...«

Der Handwerker wird plötzlich sehr ernst, dann antwortet er stockend. »Ich kann Ihnen nicht helfen, Frau Pfarrer, so gern ich es täte ... Ich habe selbst kaum genug zu tun für mich. Könnte sein, dass ich auch bald pleite bin.«

Die Frau schweigt.

Minuten später wendet sie sich erneut an den Handwerker.

»Ich habe in der Gemeinde herumtelefoniert, bevor ich zu Ihnen gekommen bin, Herr Neumann. Ich habe mehr als ein Dutzend Paten gefunden, die ein dreiviertel Jahr lang jeden Monat ein wenig von den Ausbildungskosten mittragen werden. Wir wollen Sie nicht nur belasten, sondern Sie auch unterstützen. Dirk Schindler – der von der Sparkasse – wird das über den Förderverein Jugendarbeit finanziell abwickeln. Wir haben überschlagen und glauben, dass es klappen könnte. Sie müssen nur noch zusagen, Herr Neumann, ich bitte Sie darum!«

Wieder schweigen beide. Dann richtet sich der Handwerker auf.

»Kommen Sie morgen Abend bei mir vorbei, Frau Pfarrer, zusammen mit Dirk. Wir können das Ganze ja wenigstens mal durchrechnen.«

»An eurer Liebe
wird jeder
erkennen können,
dass ihr
meine Jünger
seid.«

Jesus Christus
(Johannes 13,35)

Titus Müller

Das kleine Buch vom Alltagsglück

160 Seiten, Gebunden
ISBN 978-3-7655-1786-0

Der Alltag muss nicht grau sein! Titus Müllers Erlebnisse und Plaudereien sind der Beweis. Sie verleiten zum Schmunzeln, weil man sich wiedererkennt. Und sie regen zum Nachdenken an: ... über sich selbst und die Menschen, die einem viel bedeuten ... über Arbeit und Freizeit ... über das Leben ... über die Liebe ... über den Glauben.

Titus Müller gibt Tipps, wie und wo man im Alltag kleine, bunte, glückliche Entdeckungen macht.

BRUNNEN VERLAG GIESSEN
www.brunnen-verlag.de

Manfred Siebald

Pitti lächelt

und andere Geschichten

144 Seiten, Gebunden
ISBN 978-3-7655-1982-6

Manfred Siebald erzählt in 13 kurzen Geschichten von interessanten Menschen und zeichnet spannende Charaktere: den lächelnden Obdachlosen und den Hausbesitzer im roten Sakko, den Chef aller Chefs und die triefend nasse Mutter, den verunsicherten Internet-Freak und den einsamen alten Herrn, der den Fehler seines Lebens bereut u. a.

Wer Originale kennen lernen möchte, für den ist dieses Buch genau das Richtige.

BRUNNEN VERLAG GIESSEN
www.brunnen-verlag.de